Premium

SLAM DUNK

슬램덩크 완전판 프리미엄

TAKEHIKO INOUE

05

● CONTENTS ●

SLAM
DUNK
슬램덩크 오리지널 코믹스

05

● CONTENTS ●

#46 NO TIME

이길 수 있어!!

능남에게…!!

역전…?!

그럼, 겨우 한점 차인걸!

아까 서태웅의 3점슛 덕분이야!

와!

와!

이것만 막고 하나만 넣으면 역전인데….

와

힘내자!!

얼마 안 남았어!!

파이팅!!!

10

엉뚱한 짓
하지 마!!

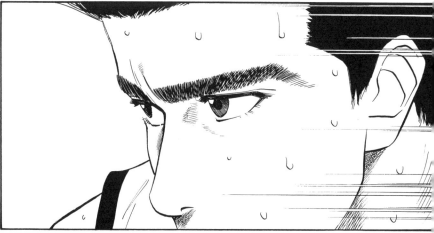

놓치면 안돼!

패스!

패스해!!

사실은 아직
5초 정도
남았어.

백호야
…!!

진 거야.

우린···

분하지만 할 수 없어.

졌으니까···

백호야···

············

············

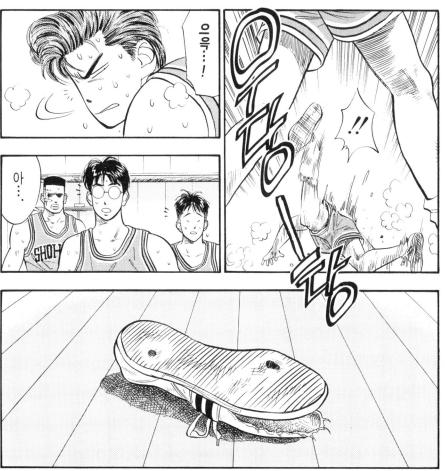

채치수군!

불과 1년 사이에 전혀 다른 팀이 됐군.

강해졌어!

감사합니다. 감독님.

그리고....

……………

명심해!

전국대회 예선에선 내가 이긴다.

채치수!

그럼 전국대회 예선에서 만나세.

아냐.

네.

이봐
…

건방진…

· · · · · · · ·

그래서 언젠가는 대협이형처럼…!

나도 죽도록 연습할 거야!!

········

꾸벅…

안선생님…

안녕히 가십시오.

돌아가볼까.

그럼…

으흐흐…

그렇게 다짐하는 유감독이었다.

북산에게 추월당하지 않기 위해서라도 당장 내일부터 지옥훈련을…

········

저 10번은 단련하면 좋은 선수가 된다…. 그렇게 채치수에게 말하려다 유감독은 그만뒀다.

그것이 자신의 팀에게는 위협이 된다는 걸 알기 때문이었다.

분해라…!

영감님이 날 늦게 내보냈기 때문이잖아요.

조금만 일찍 나갔으면 이렇게는 안되는 건데….

그만두지 못해!!

서두를 것 없네.

홋홋홋~ 백호군.

지금 부터니까 말일세.

후후후후후

♯49 농구화

야~
강백호!!

어제는…

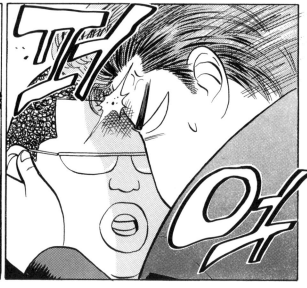

아니야!
지금 그건
놀리려는
표정이었어.

요~런 눈을
해갖고!!

너무하잖아 −
아직
아무 말도
안했는데!!

위로해
주려고
했는데!!

저 녀석 어제 진 것 때문에 밤새 한숨도 못 잤나봐.

아직도 흥분하고 있어.

하하하하 하는 수 없지

호열아!

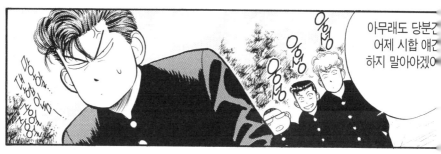

아무래도 당분건 어제 시합 얘긴 하지 말아야겠어

강백호!

크아악ー!!

그만
두지
못하….

어제 시합은
정말
아까웠어.

….

!!

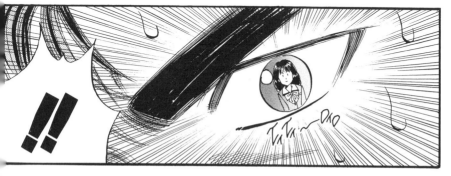

!!

앗!

안녕?

소연아
….

굉장히 좋은 시합이었는 걸!

백호야…. 그렇게 기죽을 것 없어.

소연이를 어떻게 봐…!

시합에 졌으니…

안돼…

백호야….

정말…?

하지만…. 그래도 지는 건 역시….

그럼…. 상대는 강호 능남이잖아!

저기… 지긴 했지만….

난….

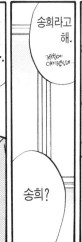

송희라고 해.

송희?

저… 저기… 백호야!

응?! 넌 소연이 친구….

오!
연이
구 2…

맞어맞어!
이 애는 울고불고
난리였어.
연습시합인데도….

희정이야!

뭐가
괜찮냐~!

희정이?!

정말
감동했어.

무척
…!

말하지
말랬지만
….

오빠도
"강백호는
예상밖으로
잘 싸웠어"라고
했어.

그래.
첫시합이라곤
도저히 생각할 수
없을 정도였어.

그렇다니까!!

그래?

정말
굉장해!

무뚝뚝

그 무뚝뚝한
오빠가 그 정도로
칭찬하는 건
대단한
거야.

그래?

그렇구말구!!

만일 이겼다면 완전히 영웅이 됐을 거야!

게다가 첫득점도 했잖아!! 그것도 역전골!!

수퍼 영웅이…!!

에이~~ 그저 소연이가 시킨대로 한 거야!!

첫득점 했을 때 기분 정말 좋았지?!

백호가 열심히 연습했다는 증거야.

겨우 며칠 사이에 운동화가 걸레가 되다니….

게다가…:

이 천재가
무슨
노력을!!

핫핫핫
…!
재능이야,
재능!!

백호야,
농구화
사러 가자.

역시
단순해!

그래
맞아….

와아─ 멋진 농구화가 많네!

아! 이게 좋겠다!

하지만 이것도 괜찮다.

응♡

어때? 백호야.

연습시간까진 학교로 돌아가야 하니까….

요즘 봉황이 백담이에서 신나가 행복해 보여.

정말 행복해

오오… 이건 마치 데이트 같아…♡

....

어서 오십시오.

사이즈가 얼마나 되죠?

방해 하지 마!

그런 셈이지요!!

응?

키가 크군. 자네 농구 선수인가?

북산고요. 귀찮게 굴지 마요. 아저씨!

저리 가요!!

어… 어느 학교지?

뭐… 뭐야? 이 괴상한 박력은….

아, 물론이지요.

죄송하지만 신어봐도 될까요?

백호야, 한번. 신어봐.

응♡

저렇게 귀여운 아가씨가 연인이라니…

좋겠다! 좋겠어!

샘나는걸!

응?

이봐, 이봐!

왜 그래요, 아저씨!

이이이이… 280!

백호야, 사이즈가 얼마니?

그렇게 보이세요?! 사장님!!

멋있다-! 다음은 이걸 신어봐!!

그리고 이것도!

모두 좋은 것 뿐이네-! 전부 한번 신어봐!!

앗! 이것도 좋아!

그래? 하하하!!

역시 농구화를 신으니까 농구 선수다워 보이네!!

다음은 이거 어때? 좋지 않니?

오오!

우왁!

우와〜〜 딱 멈추는걸!!

가게 안에서 소란피우면 안….

이… 이봐!!

농구화는 점프했다가 착지했을 때의 충격을 완화시켜주는 역할도 해.

백호야.

오오~ 딱 멈췄다!!

쓰... 쓸데없는 얘기하지 말아요, 아가씨…!!

……!!

우와― 전보다 더 높이 뛰어지는 것 같아.

이얍!!

으라차―!!

아아…!

팍

콰당

웅

이봐,
그만해!

조단?

으아아!
내 에어조단
Ⅵ가…!!!

난 수집가라서
초대 에어조단부터
이것까지
모두 가지고
있어….
조심해주게나.

그래
시카고 불스의
마이클 조단이
신는 농구화야

이것 맘에
드는걸…!

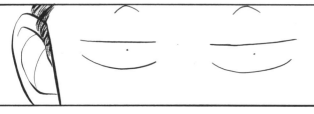

이거 얼마죠?

어… 얼마라니…?

이건 나의….

이게 맘에 들어.

중고품이니까 깎아줘요.

!!

30엔!
(한화 약 300원)

♯50　뒤늦게 나타난 사나이

아—아, 심심해!

뭐 재미있는 일 없을까?

드디어 그 녀석도 승부를 걸만한 대상을 찾은 거야.

그 녀석은 지금 농구부에 **빠져** 있으니까….

요즘은 백호가 퇴짜맞는 구경도 못하고….

소연이는 태웅이를 좋아하니까 빨리 다른 여자를 찾아보는 게 나을텐데 말야.

이래 갖곤 중학교 때 기록은 깨지 못하겠지?

그 녀석, 고등학교 오면서 페이스가 떨어졌어.

페이스

하 하 하 하 하!!

아아~
심심해!

대남아,
너도 뭔가
할만한 일
찾아보지 그래?

그럼
호열이 넌
뭔가 할 일이
있다는 거냐?

아―
심심해―!!

역시!

글쎄…
잘 모르겠는걸.

앗!

뭐하는
거야?

저
녀석들…

우왓!!

헤이ㅡ!

하하하!
놀라는 꼴
하곤….

응…?

바보야!
지금 한창
재미있는
대목이란 말야!!

누군데?

나도
몰라!!
조용히 해!

나
….

뭐
?!

본심도
아니잖아?!

북산에 다니는
친구한테
들었어….

아아…
고교생이 된 후
벌써 10명째….

같은 반의
아이!

너 사실은
좋아하는
사람이 있지?
같은 학교….

와
하
하
하핫
!!!

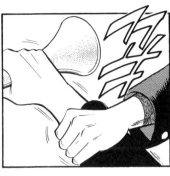

.....

뛰는 놈 위에
나는 놈
있는 법!
백호에 비하면
아직 멀었어!

와하하하!!

괜찮아
오빠.
그렇게
실망할 것
없어!

10명쯤은
아무것도
아냐!

응?

너희들!

1학년이냐?

그 많던 1학년이
어느새 너희들
5명만 남았군.

후-.

네
...

협상중에
그만둔
애도
있었어...

저런
잡기
싫은
놈들...

뚜
...

지금 멤버로
싸울 수밖에
없다!!

지역
예선이
임박했어!
그리고
도대회도!!

상관없어.
해마다
있는 일이야.

올해는
나은
편이지.

도내에는
200개가 넘는
팀들이 있어!!

그 중에서도
작년에 우승한
해남대부속고교!!
해남고는 최근
10년 연속 전국대회에
나간 전국적으로
유명한 강호야!!

바로
그 해남고를
바짝 뒤쫓고
있는 작년
2위의 상양!!

그
리
고…

천재
윤대협과
괴물 변덕규가
이끄는 능남!!

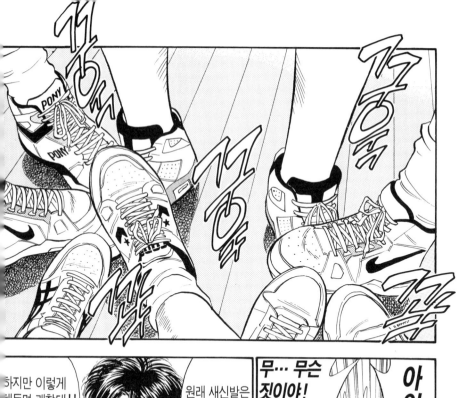

하지만 이렇게 해두면 괜찮대!!

원래 새신발은 부상당하기 쉬워.

관습이지.

일본의...

억...

에게또...

난 안 밟았어.

으음! 꾸욱 뿌직!

그... 그런 건가?!

무... 무슨 짓이야! 너희들!! 남의 농구화를 ...!!

아앗ー!!!

알았나!!

힘들겠지만 모두 참고 따라와주기 바란다.

하여튼 잊어버리면 안돼!! 우리의 최종 목표는….

전국제패!!!

그렇다, 강백호!

내말 끝에마~

선생님!

네!!

열심히 하다보면 언젠가는 반드시 좋은 일이 있을 거예요.

어제는 잘들 싸웠어요.

그 녀석 말이야…

…뭐야.

농담도 모르는 놈이구나…!

………

원한다면 한번 붙어볼까?

그렇게 힘줄 필요 없잖아!

이 녀석이
보스구나
….

나하고
1 대 1이다.

자아,
덤벼!

나는
비겁하지가
아니니까!

오해는 마라.
4대1로 붙자는 게
아니니까.

젠장…
퇴원하자마자ㅡ.

하하하…
대남아,
그만둬!!

!

아무래도
우리가
잘못한 것
같아!

너도
그만둬!

……

너, 이름이
뭐냐?

야…

깜빡 말고
고열아…

……

호열아,
왜 막는
거야?

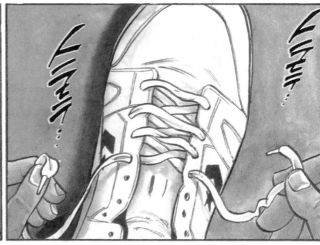

응…?

송태섭!!

#51 수퍼 문제아

퇴원을 했으면 내게 알리는 게 도리 아냐?

으응?

안 그래? 송태섭!

영걸 선배…

뭐?
태섭이가
학교에
나왔다구?!

와글

와글

와글

와글

잘
가
!

바이바이!

하지만
본 사람이
있대!

혹시 농구부
연습하러 온 게
아닐까?
걘 원래
그렇잖아.

무슨 말이야
난 같은 반인데
못 봤는걸

병원에
있겠지.

아앗!!
한나 선배!

무슨 노래가
그러니?

그 애도
바쁘겠지….

헤헤헤…
오늘도 소연이가
와줬으면
좋겠는데…

그렇구나….
그 녀석,
퇴원했구나….

이제 또 농구부에 수퍼 문제아가

한 사람 늘게 됐군….

이거 큰일이야 ~...

……………

너답지 않은데!! 아니면 겁먹은 거냐?!

하하하!! 병원에서 마음을 고쳐 먹었냐? 송태섭!!

그만둬요···.

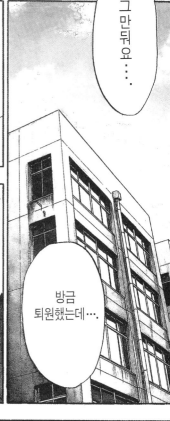

1학년 중에 나보다 훨씬 건방진 놈이 들어왔다면서요?

방금 퇴원했는데···.

그 녀석들이나 손봐주지 그래요···.

하하하하!!

언젠가는···?!

하하···!! 걱정마라. 그 녀석들 언젠가는 확실히 손봐줄테니까!!

얼버무리 지마!! 일단은 네놈이 먼저니까 송태섭!!

존대말까지 배웠구나 요즘은 병원에서 별걸 다 가르쳐주는 모양이지?!

정대만···!

탁

안심했다.

좋아
보이는구나,
송태섭.

뭐?
태섭이가
왔다구?!

아직 보지는
못했지만….
학교 안에서
누가 봤대요.

농 구 부

그래?
생각보다 빨리
퇴원했구나!

그래.

맞어….
입원했다고 하던
또 한 명의
2학년 선배
말이죠?!

그럼
태섭이도
개선전에
나오겠구나.
잘 됐어!

준호 선배,
그 송태섭이란
선배는
농구 잘하나요?

안녕하십
니까!!

준호
선배!!

안녕
하세요!!

너하고 같은
가드니까.

직접 눈으로
확인해보려

가드
…!!

준호형!
그 녀석이
…

알고
있어.

태섭이가
오는
모양이에요.

출전정지
따윈 이제
신물나!!

또 무슨
문제라도
일으키면…

예선이
코앞에
닥쳤는데…

무서운
사람인가
보죠?

송… 송태섭
선배가
무슨 일을
저질렀나요?

출…
출전정지
…

좋아 보이는군.
송태섭!
이제
안심이야….

뭐야?
당신도
퇴원한 건가?

정대만
선배!

안심하고
두들겨줄 수
있게
됐으니!!

무서운
정도가
아냐!
그 녀석
은…!

그 일이
탄로났으면
틀림없는
출전정지였어.

사…
사건…?

게다가 올해는
강백호까지
있으니….

입원한 것도
끔찍한 사건을
일으키고
병원에 실려간
거니까!!

앗!!

응?

아니,
그
녀석은
뭐야?!!

한나
~!!

?

내가 없는
사이에
저런
녀석과…?!

어째서 난
쳐다보지도
않으면서…!!!

!!

이
빌어먹을
녀석!!

우욱?!!

북산 농구부의
또 하나의 문제아
송태섭(2학년)—.

그는
이한나에게
반해 있었다.

♯52 사건

······!!

태섭아!!

빌어먹을!

우와… 저 덩치큰 강백호를 한방에….

무…

무슨 짓이야?!

야, 송태섭! 네놈의 상대는 그놈이 아닐텐데….

그런데…
그 사건이란 게
어떤 거였어요?

농구부

그렇게 무서운
사람인가요?
송태섭
선배가….

겁모르는
태섭이를
상급생들이
손봐주려
했던 거야.

뭐,
흔히 있는
일이지.

그래….
뭐, 자주 있는
흔한
얘기지만….

말해주세요,
선배!

상대가 6,7명이나 됐으니, 태섭이한테 승산은 없었지….

쳇…!

그만해!!

승산이 없다고
생각한 태섭이는
다른 애들은
제쳐두고
두목인 정대만
하나만 노렸어.

다른 놈들한테
걸어맞더라도
정대만 한 사람만은
쓰러뜨리겠다고
작정한 거지.

정대만이라는
사람은
이미 의식이
없었대.

태섭이가
엉망으로
당했을 때엔…

그래서 둘다
병원신세가
된 거야.

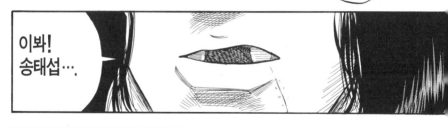

이봐!
송태섭….

이제 그만하는 게
어때요?
당신들하고 그때
그일로 충분히….

상대를
잘못
고른 거
아냐?

앗!
내 오토바이
가…!!

그만둬,
강백호!

이얏…!!

으으
—!!!

왜… 왜
그래요?
한나
언니!!

소연아!

빨강머리
가!!

꽈!

엌

윽!

이
…
…

정대만!

어라?

으악

대
만
아!!

버!!

쭈

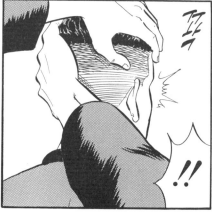

꽉

!!

이얍!

어엇?!

칫!!

이 녀석…!!

이크크!

우왕!

우왓?!

쾅

그만해 ――――!!!

네에 ♡

정말····   ?

응?

맞어.
1학년 7반
강백호….

그 녀석도
농구부야.

야…
그
빨강머리는
또 뭐냐?

신입생이냐?

요전에 옥상에서
손봐주려 했었는데,
방해꾼이
끼어들어서
못했어.

그러고보니
모두
농구부잖아!

서태웅이라는
놈이었는데….

그러고보니
그때 그놈도
농구부였어.

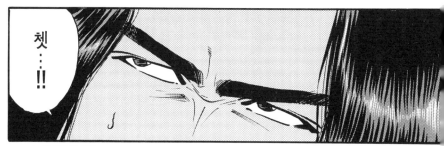

쳇
…!!

송태섭ー!!

치수 선배가 잘도 네놈을 받아줬구나.

어떻게 너 같은 놈이 농구부에 있는 거지?

빨강머리야!

키만으로 농구를 할 수 있다고 생각하지 마라.

너도 별 수 없구나! 송태섭!!

하하하하!

이거 완전히 파울 이잖아!!

이 녀석이…. 누가 누구보고 비겁 하다고 하는 거냐.

인터셉트!

이게 정말!!

아얏!!

이 반칙왕 아!!

하하…!
내가
이겼다.

됐어!!
이제
그만해!

스톱!!

흥!

우왁~

너도 별거
아니구나!

하하
…!

♯54 꼴보기 싫은 녀석이지만

으....!

끅

!!

!

휴우....

주장....

고릴라...

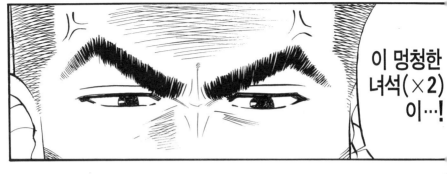

이 멍청한
녀석(×2)
이…!

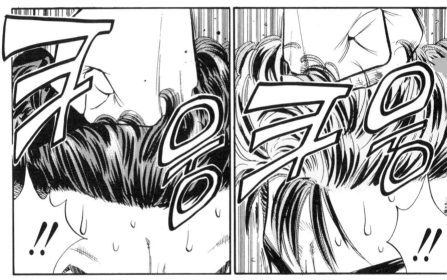

자아,
연습이다.

주장!!

치수 선배!!

안녕하세요!!

둘!

둘!

하나!

물의를 일으켜
죄송합니다.

송태섭…

지금
돌아왔습니다.

넷!

이제부터 열심히 하도록!

태섭군.

얌전한 척하지 마, 임마!

영감님! 이 녀석은 쫓아내는 게 좋을 거예요.

영감님의 권력으로 말예요.

천재 강백호의 방해가 되는 녀석이란 말예요.

어엇!!

실력두 별루고ㅡ.

야, 임마! 무슨 짓이야? 이 바보 녀석!!

쫓아내 버려요.

게다가 성격도 더러워요.

빨리
편해지고
싶지 않니?

항복하겠다면
놓아주마.
어때?

무리하지
마라.

너야말로
울상이 된
주제에
무슨…!!

흥!
사실 난
40%야.

거짓말 마!
난 30%다.

멍청한
놈들…!

난
200이야.

후후후…
나도 그래.

말해두지만
난 아직
60%의 힘밖에
발휘하지
않았어.

아직
여력이
있단
말이다.

난 아직
50%야.

이겼다…!

송태섭!

한나!

바보같이 뭐하는 짓이야!

아하ㅡ 이 녀석…

한나…

응…?

수고했습니다!

내일 봐!

뭐야?
따라오지 마!

시끄러─!
따라가긴
누가 따라가?!
방향이 같을
뿐이야.

앗,
한나 선배!!

뭐♡
한나?!

한나 선배한테 반했구나?

아닌가?

······

······!!

후후후··· 역시!

꼴보기 싫은 녀석이지만 귀여운 데가 있는데! 빨개지는 걸 보니···.

꼴보기 싫은 녀석이지만····.

이봐? 송태섭씨!

너 한나 선배 때문에 농구부 들어왔지?

그러? 맞지?

······

퇴짜 맞을지도 몰라.

히히히··· 역시 그랬었구나 한나 선배를···

그래, 그래.

그런데 한나 선배는 너무 멋지거든.

· · · · · · · · ·

엉…?

한나 눈에는 나같은 건 보이지도 않아.

전혀 상대도 안해주니까….

이미 퇴짜맞은 거나 같아….

그녀를 잊기 위해서 몇번이나 다른 애하고 사귀려고도 해봤어….

그런데 체육관에 연습 구경을 갔다가….

난 중학교 때 농구를 했었지만 고교에서도 할까 말까 망설였었어.

그런데 모조리 퇴짜란 말야.

10연속….

!!

금방 반해버렸어.

그녀를 처음 본 순간….

내가 팀을 강하게 만들고 시합에 이겨서….

농구에 목숨을 걸기로 했지.

난 그 즉시 농구부에 가입했어.

쳇…. 너같은 놈한테 쓸데없는 소릴….

그걸로 그녀가 기뻐해준다면 바랄 게 없지.

♯55 불량

호열아, 혹시 짐작가는 거 없니?

그래. 오토바이 4대를 타고 왔는데…

교문 앞에 버티고 있으니 나갈 수가 있어야지….

글쎄…

연습이냐, 백호야?

응?

짐작가는 데 없어?

아, 백호야! 넌 혹시 모르니?

이 천재 강백호의 공식전 데뷔가 다가오고 있거든…. 충격적인 데뷔전이 말야!!

오오! 호열아!!

우린
그런 녀석들
몰라.

···········

그 무대포
녀석?

그리고
그 송태섭이란
녀석 꽤 말이
통하더라구.

야,
기다려···.

그리고
백호에겐
말하지 마.

이봐,
콧털!

이봐
!!

너 말야,
콧털!!

나?

농구부 체육관이 어디야?

으... 뭐지?!

!!

그래, 너 말야.

너말고 콧털이 또 있나?

난 단지 싸우고 싶어서 여기 온 거야.

농구부의 그 뭔가 하는 놈이든 네 녀석이든 상관없단 말이다.

어서 말해!

야, 콧수염!!

아야…!

농구부…?

철이가 얘기한 것 못 들었어?

빨리 말해!!

뭐야, 너희들. 농구부 누구와 싸웠던 거냐…?

상관말고 어서 말해!

뭐야?

?

2 : 1 : : : 3

6 대 1! : : : 6 : : : 4 5

철아, 참아!
여긴 사람이
많잖아!!

너희들,
비겁한
놈들이구나?!

무슨 생각으로
말하지
않는 거야.

이 녀석…
머리가 어지간히
나쁘군…!

멍청한 놈!

으…
으윽
…!

아, 너구나!

…뭐야, 그 녀석은?

체육관이 어딘지 몰라서 말야.

너무 눈에 띄잖아, 철아….

이젠 안심이야.

어쨌거나 사이가 좋아졌으니 다행이지 뭐야.

수수께끼의 화해…!

어떤 일이 일어난 거야? 저 두 사람…?

정말 신기하네. 그렇게 심하게 싸웠는데….

속들여다 보여!

훵

호이!!

남은 건 지역예선…. 그리고 전국대회를 향해 돌진하는 것 뿐이다.

올해엔 반드시 전국대회에 나간다!!

앗, 벌써 가니, 호열아?

응, 오늘 아르바이트가 있거든.

그럼 또 보자, 소연아.

· · · · ·

훗!

안되지, 안돼!

그나저나 잘됐어. 백호도 이젠 완전히 농구가 좋아진 것 같구.

능남고와의 시합에서도 초보자같지 않은 활약을 보였으니….

정말 기대가 돼.

지금보다 몇 배는 더 잘할 거야.

그 말 백호한테 해줘.

소연이는 백호 마음을 알고 있을라나….

♯56 불청객

뭐야, 이 녀석들—?!

양호열!

이봐···
너희들.

그쪽엔
체육관밖에
없어.

무슨 짓을
할 생각이야?

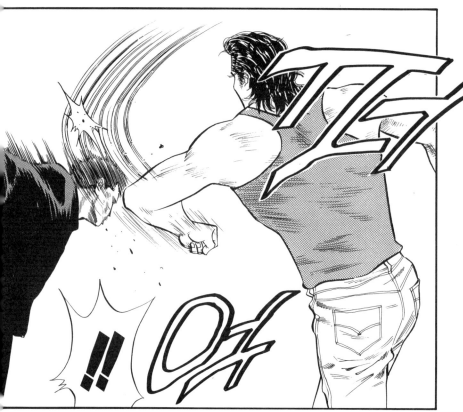

호오…!!

알고 있어…!
이쪽이
체육관
이란 것!

지금부터
농구 좀
하러 간다…!

엉?
고릴라가
없잖아.

넷
!!

치수는
보충수업 때문에
조금 늦을 거야.

모두
집합
-!!

!!

물리
때문에!

고릴라가
물리를….

그래봬도
머리가
좋단다.

안
어울려!

연습 시작한다!!

멍청한
녀석들….

그게
말했잖아.

윽
….

피래미는
빠지랬지！

….이야

……………

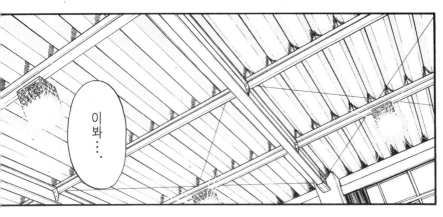

이봐···

준호형.

흙발로
들어오면
안돼!!

신발을···

···········
········

정대만···?

정···
정대만
선배다!!

그··· 그럼
태섭이형하고
싸웠던···?!

우리도
끼워줄래?
송태섭!

··········
········

너는 묵사발이 되더라도 농구부만은…. 이라는 거냐?

후훗….

다른 부원들…?!

다른 부원들도 있으니 이러지 말아줘!!

지금은 연습중이야!

부탁이야….

그것도 그만둬!

아…

뭐?

부탁이니 모두 데리고 돌아가줘. 정대만 선배!

또 병원에 입원할 수는 없어.

여기는
소중한
곳이란 말야.

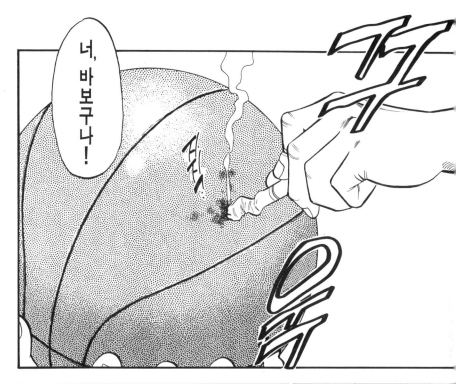

5 **SLAM DUNK**(完)

SLAM
슬램덩크 완전판 프리미엄
DUNK

슬램덩크 완전판 프리미엄 5

2007년 9월 23일 1판 1쇄 발행   2023년 2월 14일 2판 3쇄 발행

•

저자 ······ TAKEHIKO INOUE

•

발행인 : 황민호
콘텐츠1사업본부장 : 이봉석
책임편집 : 김정택/장숙희
발행처 : 대원씨아이(주)

•

서울특별시 용산구 한강대로 15길 9-12
전화 : 2071-2000 FAX : 797-1023
1992년 5월 11일 등록 제 1992-000026호

•

©1990-2022 by Takehiko Inoue and I.T.Planning, Inc.

•

ISBN 979-11-6944-798-0 07830
ISBN 979-11-6944-793-5 (세트)